Histoire de Blondine

© Circonflexe, 1994, pour la présente édition
ISBN 2-87833-117-6
Imprimé en Italie
Dépôt légal : mars 1994
Loi n° 49-956 du 16 juillet 1949
sur les publications destinées à la jeunesse

Comtesse de Ségur

Histoire de Blondine

I

illustré avec les tableaux de
Fragonard

Iconographie Tiphaine Samoyault

circonflexe

Ils avaient une petite princesse qui s'appelait Blondine.   I

Il y avait un roi qui s'appelait Bénin ; tout le monde l'aimait, parce qu'il était bon ; les méchants le craignaient, parce qu'il était juste. Sa femme, la reine Doucette, était aussi bonne que lui. Ils avaient une petite princesse qui s'appelait Blondine à cause de ses magnifiques cheveux blonds, et qui était bonne et charmante comme son papa le roi et comme sa maman la reine. Malheureusement la reine mourut peu de mois après la naissance de Blondine, et le roi pleura beaucoup et longtemps. Blondine était trop petite pour comprendre que sa maman était morte : elle ne pleura donc pas et continua à rire, à jouer, à téter et à dormir paisiblement. Le roi aimait tendrement Blondine, et Blondine aimait le roi plus que personne au monde. Le roi lui donnait les plus beaux joujoux, les meilleurs bonbons, les plus délicieux fruits. Blondine était très heureuse.

Un jour, on dit au roi Bénin que tous ses sujets lui demandaient de se remarier pour avoir un fils qui pût être roi après lui. Le roi refusa d'abord ; enfin il céda aux instances et aux désirs de ses sujets, et il dit à son ministre Léger :

« Mon cher ami, on veut que je me remarie ; je suis encore si triste de la mort de ma pauvre femme Doucette, que je ne veux pas m'occuper moi-même d'en chercher une autre. Chargez-vous de me trouver une princesse qui rende heureuse ma pauvre Blondine : je ne demande pas autre chose. Allez, mon cher Léger ; quand vous aurez trouvé une femme parfaite, vous la demanderez en mariage et vous l'amènerez. »

Léger partit sur-le-champ, alla chez tous les rois, et vit beaucoup de princesses, laides, bossues, méchantes ; enfin il arriva chez le roi Turbulent, qui avait une fille jolie, spirituelle, aimable et qui paraissait bonne. Léger la trouva si charmante qu'il la demanda en mariage pour son roi Bénin, sans s'informer si elle était réellement bonne. Turbulent, enchanté de se débarrasser de sa fille, qui avait un caractère méchant, jaloux et orgueilleux, et qui d'ailleurs le gênait pour ses voyages, ses chasses, ses courses continuelles, la donna tout de suite à Léger, pour qu'il l'emmenât avec lui au royaume du roi Bénin.

Léger partit, emmenant la princesse Fourbette et quatre mille mulets chargés des effets et des bijoux de la princesse.

Ils arrivèrent chez le roi Bénin, qui avait été prévenu de leur arrivée par un courrier ; le roi vint au-devant de la princesse Fourbette. Il la trouva jolie ; mais qu'elle était loin d'avoir l'air doux et bon de la pauvre Doucette ! Quand Fourbette vit Blondine, elle la regarda avec des yeux si méchants, que la pauvre Blondine, qui avait déjà trois ans, eut peur et se mit à pleurer.

« Qu'a-t-elle ? demanda le roi. Pourquoi ma douce et sage Blondine pleure-t-elle comme un enfant méchant ?

— Papa, cher papa, s'écria Blondine en se cachant dans les bras du roi, ne me donnez pas à cette princesse ; j'ai peur ; elle a l'air si méchant ! »

Le roi, surpris, regarda la princesse Fourbette, qui ne put assez promptement changer son visage pour que le roi n'y aperçût pas ce regard terrible qui effrayait tant Blondine. Il résolut immédiatement de veiller à ce que Blondine vécût séparée de la nouvelle reine, et restât comme avant sous la garde exclusive de la nourrice et de la bonne qui l'avaient élevée et qui l'aimaient tendrement. La reine voyait donc rarement Blondine, et quand elle la rencontrait par hasard, elle ne pouvait dissimuler entièrement la haine qu'elle lui portait.

Au bout d'un an, elle eut une fille, qu'on nomma Brunette, à cause de ses cheveux, noirs comme du charbon. Brunette était jolie, mais

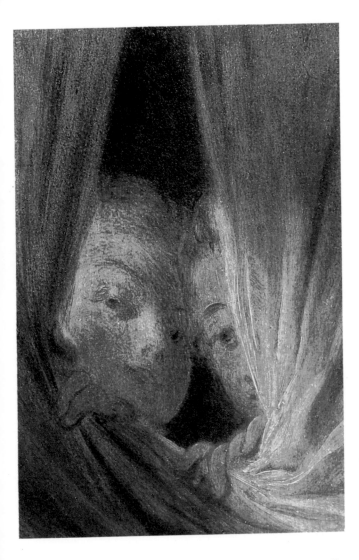

Blondine avait déjà sept ans et Brunette avait trois ans. II

bien moins jolie que Blondine ; elle était, de plus, méchante comme sa maman, et elle détestait Blondine, à laquelle elle faisait toutes sortes de méchancetés : elle la mordait, la pinçait, lui tirait les cheveux, lui cassait ses joujoux, lui tachait ses belles robes. La bonne petite Blondine ne se fâchait jamais ; toujours elle cherchait à excuser Brunette.

« Oh ! Papa, disait-elle au roi, ne la grondez pas ; elle est si petite, elle ne sait pas qu'elle fait de la peine en cassant mes joujoux. C'est pour jouer qu'elle me mord... C'est pour s'amuser qu'elle me tire les cheveux », etc.

Le roi Bénin embrassait sa fille Blondine et ne disait rien, mais il voyait bien que Brunette faisait tout cela par méchanceté et que Blondine l'excusait par bonté. Aussi aimait-il Blondine de plus en plus et Brunette de moins en moins.

La reine Fourbette, qui avait de l'esprit, voyait bien tout cela aussi ; mais elle haïssait de plus en plus l'innocente Blondine ; et, si elle n'avait craint la colère du roi Bénin, elle aurait rendu Blondine la plus malheureuse enfant du monde. Le roi avait défendu que Blondine fût jamais seule avec la reine, et, comme on savait qu'il était aussi juste que bon et qu'il punissait sévèrement la désobéissance, la reine elle-même n'osait pas désobéir.

Blondine avait déjà sept ans et Brunette avait trois ans. Le roi avait donné à Blondine une jolie petite voiture attelée de deux autruches et menée par un petit page de dix ans, qui était le neveu de la nourrice de Blondine. Le page, qui s'appelait Gourmandinet, aimait tendement Blondine, avec laquelle il jouait depuis sa naissance et qui avait pour lui mille bontés. Mais il avait un terrible défaut ; il était si gourmand et il aimait tant les friandises, qu'il eût été capable de commettre une mauvaise action pour un sac de bonbons. Blondine lui disait souvent :

« Je t'aime bien, Gourmandinet, mais je n'aime pas à te voir si gourmand. Je t'en prie, corrige-toi de ce vilain défaut, qui fait horreur à tout le monde. »

Gourmandinet lui baisait la main et lui promettait de se corriger ; mais il continuait à voler des gâteaux à la cuisine, des bonbons à l'office, et souvent il était fouetté pour sa désobéissance et sa gourmandise.

La reine Fourbette apprit bientôt les reproches qu'on faisait à Gourmandinet, et elle pensa qu'elle pourrait utiliser le vilain défaut du petit page et le faire servir à la perte de Blondine. Voici le projet qu'elle conçut :

Le jardin où Blondine se promenait dans sa petite voiture traînée par des autruches, avec Gourmandinet pour cocher, était séparé par un grillage d'une magnifique et immense forêt, qu'on appelait la forêt des Lilas, parce que toute l'année elle était pleine de lilas toujours en fleurs. Personne n'allait dans cette forêt ; on savait qu'elle était enchantée et que, lorsqu'on y entrait une fois, on n'en pouvait plus jamais sortir. Gourmandinet connaissait la terrible propriété de cette forêt ; on lui avait

Le page, qui s'appelait Gourmandinet, aimait tendrement Blondine.

III

sévèrement défendu de jamais diriger la voiture de Blondine de ce côté, de crainte que par inadvertance Blondine ne franchît la grille et n'entrât dans la forêt des Lilas.

Bien des fois le roi avait voulu faire élever un mur le long de la grille, ou du moins serrer le grillage de manière qu'il ne fût plus possible d'y passer ; mais à mesure que les ouvriers posaient les pierres ou les grillages, une force inconnue les enlevait et les faisait disparaître.

La reine Fourbette commença par gagner l'amitié de Gourmandinet en lui donnant chaque jour des friandises nouvelles ; quand elle l'eut rendu tellement gourmand qu'il ne pouvait plus se passer des bonbons, des gelées, des gâteaux qu'elle lui donnait à profusion, elle le fit venir et lui dit :

« Gourmandinet, il dépend de toi d'avoir un coffre plein de bonbons et de friandises, ou bien de ne plus jamais en manger.

— Ne jamais en manger ! Oh ! Madame, je mourrais de chagrin. Parlez, Madame ; que dois-je faire pour éviter ce malheur ?

— Il faut, reprit la reine en le regardant fixement, que tu mènes la princesse Blondine près de la forêt des Lilas.

— Je ne le puis, Madame, le roi me l'a défendu.

— Ah ! tu ne le peux ? Alors, adieu ; je ne te donnerai plus aucune friandise, et je défendrai que personne dans la maison ne t'en donne jamais.

— Oh ! Madame, dit Gourmandinet en pleurant, ne soyez pas si cruelle ! donnez-moi un autre ordre que je puisse exécuter.

— Je te répète que je veux que tu mènes Blondine près de la forêt des Lilas, et que tu l'encourages à descendre de voiture, à franchir la grille et à entrer dans cette forêt.

— Mais, Madame, reprit Gourmandinet en devenant tout pâle, si la princesse entre dans cette forêt, elle n'en sortira jamais ; vous savez que c'est une forêt enchantée ; y envoyer ma princesse, c'est l'envoyer à une mort certaine.

— Une troisième et dernière fois, veux-tu y mener Blondine ? Choisis : ou bien un coffre immense de bonbons que je renouvellerai tous les mois, ou jamais de sucreries ni de pâtisseries.

— Mais comment ferai-je pour échapper à la punition terrible que m'infligera le roi ?

— Ne t'inquiète pas de cela ; aussitôt que tu auras fait entrer Blondine dans la forêt des Lilas, viens me trouver : je te ferai partir avec tes bonbons, et je me charge de ton avenir.

— Oh ! Madame, par pitié, ne m'obligez pas à faire périr ma chère maîtresse, qui a toujours été si bonne pour moi !

— Tu hésites, petit misérable ! Et que t'importe ce que deviendra Blondine ? Plus tard, je te ferai entrer au service de Brunette, et je veillerai à ce que tu ne manques jamais de bonbons. »

Gourmandinet réfléchit encore quelques instants, et se résolut, hélas ! à sacrifier sa bonne petite maîtresse pour quelques livres de bonbons. Tout le reste du jour et toute la nuit il hésita encore à commettre ce grand crime ; mais la certitude de ne pouvoir plus satisfaire sa gourmandise, s'il se refusait à exécuter l'ordre de la reine, l'espoir de retrou-

Il s'achemina vers la grille de la forêt des Lilas.   IV

ver un jour Blondine en s'adressant à quelque fée puissante, firent cesser ces irrésolutions et le décidèrent à obéir à la reine.

Le lendemain, à quatre heures, Blondine commanda sa petite voiture, monta dedans après avoir embrassé le roi et lui avoir promis de revenir dans deux heures. Le jardin était grand. Gourmandinet fit aller les autruches du côté opposé à la forêt des Lilas.

Quand ils furent si loin qu'on ne pouvait plus les voir du palais, il changea de direction et s'achemina vers la grille de la forêt des Lilas. Il était triste et silencieux ; son crime pesait sur son cœur et sur sa conscience.

« Qu'as-tu donc, Gourmandinet ? demanda Blondine ; tu ne parles pas ; serais-tu malade ?

— Non, princesse, je me porte bien.

— Comme tu es pâle ! dis-moi ce que tu as, mon pauvre Gourmandinet. Je te promets de faire mon possible pour te contenter. »

Cette bonté de Blondine fut sur le point de la sauver en amollissant le cœur de Gourmandinet ; mais le souvenir des bonbons promis par Fourbette détruisit ce bon mouvement.

Avant qu'il eût pu répondre, les autruches touchèrent la grille de la forêt des Lilas.

« Oh ! les beaux lilas ! s'écria Blondine ; quelle douce odeur ! Que je voudrais avoir un gros bouquet de ces lilas pour les offrir à papa ! Descends, Gourmandinet, et va m'en chercher quelques branches.

— Je ne puis descendre, princesse ; les autruches pourraient s'en aller pendant que je serais absent.

— Eh ! qu'importe ? dit Blondine : je les ramènerais bien seule au palais.

— Mais le roi me gronderait de vous avoir abandonnée, princesse. Il vaut mieux que vous alliez vous-même cueillir et choisir vos fleurs.

— C'est vrai, dit Blondine ; je serais bien fâchée de te faire gronder, mon pauvre Gourmandinet. »

Et, en disant ces mots, elle sauta lestement de la voiture, franchit les barreaux de la grille et se mit à cueillir les lilas.

A ce moment, Gourmandinet frémit, se troubla : le remords entra dans son cœur ; il voulut tout réparer en rappelant Blondine : mais, quoique Blondine ne fût qu'à dix pas de lui ; quoiqu'il la vît parfaitement, elle n'entendait pas sa voix et s'enfonçait petit à petit dans la forêt enchantée. Longtemps il la vit cueillir des lilas, et enfin elle disparut à ses yeux.

Longtemps encore il pleura son crime, maudit sa gourmandise, détesta la reine Fourbette. Enfin il pensa que l'heure où Blondine devait être de retour au palais approchait ; il rentra aux écuries par les derrières, et courut chez la reine, qui l'attendait. En le voyant pâle et les yeux rouges des larmes terribles du remords, elle devina que Blondine était perdue.

« Est-ce fait ? » dit-elle.

Gourmandinet fit signe de la tête que oui ; il n'avait pas la force de parler.

« Viens, dit-elle, voilà ta récompense. »

Et elle lui montra un coffre plein de bonbons de toutes sortes. Elle fit enlever ce coffre par un valet, et le fit attacher sur un des mulets qui avaient amené ses bijoux.

« Je confie ce coffre à Gourmandinet, pour qu'il le porte à mon père. Partez, Gourmandinet, et revenez en chercher un autre dans un mois. »

Elle lui remit en même temps une bourse pleine d'or dans la main. Gourmandinet monta sur le mulet sans mot dire. Il partit au galop ; bientôt le mulet, qui était méchant et entêté, impatienté du poids de la caisse, se mit à ruer, à se cambrer, et fit si bien qu'il jeta par terre Gourmandinet et le coffre. Gourmandinet, qui ne savait pas se tenir sur un cheval ni sur un mulet, tomba la tête sur des pierres et mourut sur le coup. Ainsi il ne retira même pas de son crime le profit qu'il en avait espéré, puisqu'il n'avait pas encore goûté les bonbons que lui avait donnés la reine.

Personne ne le regretta, car personne ne l'avait aimé, excepté la pauvre Blondine, que nous allons rejoindre dans la forêt des Lilas.

Quand Blondine fut entrée dans la forêt, elle se mit à cueillir de belles branches de lilas, se réjouissant d'en avoir autant et qui sentaient si bon. A mesure qu'elle en cueillait, elle en voyait de plus beaux ; alors elle vidait son tablier et son chapeau qui en étaient pleins, et elle les remplissait encore.

Il y avait plus d'une heure que Blondine était ainsi occupée ; elle avait chaud ; elle commençait à se sentir fatiguée ; les lilas étaient lourds à porter, et elle pensa qu'il était temps de retourner au palais. Elle se retourna et se vit entourée de lilas ; elle appela Gourmandinet : personne ne lui répondit. « Il paraît que j'ai été plus loin que je ne croyais, dit Blondine : je vais retourner sur mes pas, quoique je sois un peu fatiguée, et Gourmandinet m'entendra et viendra au-devant de moi. »

Elle marcha pendant quelque temps, mais elle n'apercevait pas la fin de la forêt. Bien des fois elle appela Gourmandinet, personne ne lui répondait. Enfin elle commença à s'effrayer.

« Que vais-je devenir dans cette forêt toute seule ? Que va penser mon pauvre papa de ne pas me voir revenir ? et le pauvre Gourmandinet, comment osera-t-il rentrer au palais sans moi ? Il va être grondé, battu peut-être, et tout cela par ma faute, parce que j'ai voulu descendre et cueillir ces lilas ! Malheureuse que je suis ! je vais mourir de faim et de soif dans cette forêt, si encore les loups ne me mangent pas cette nuit. »

Et Blondine tomba par terre au pied d'un gros arbre et se mit à pleurer amèrement. Elle pleura longtemps ; enfin la fatigue l'emporta sur le chagrin ; elle posa sa tête sur sa botte de lilas et s'endormit.

Blondine dormit toute la nuit ; aucune bête féroce ne vint troubler son sommeil ; le froid

*Quand Blondine fut entrée dans la forêt, elle se mit
à cueillir de belles branches de lilas.*   V

ne se fit pas sentir ; elle se réveilla le lendemain assez tard ; elle se frotta les yeux, très
surprise de se voir entourée d'arbres, au lieu
de se trouver dans sa chambre et dans son lit.
Elle appela sa bonne ; un miaulement doux
lui répondit ; étonnée et presque effrayée, elle
regarda à terre et vit à ses pieds un magnifique chat blanc qui la regardait avec douceur
et qui miaulait.

« Ah ! Beau-Minon, que tu es joli ! s'écria
Blondine en passant la main sur ses beaux
poils, blancs comme la neige. Je suis bien
contente de te voir, Beau-Minon, car tu me
mèneras à ta maison. Mais j'ai bien faim, et je
n'aurais pas la force de marcher avant d'avoir
mangé. »

A peine eut-elle achevé ces paroles, que
Beau-Minon miaula encore et lui montra avec
sa petite patte un paquet posé près d'elle et
qui était enveloppé dans un linge fin et blanc.
Elle ouvrit le paquet et y trouva des tartines
de beurre ; elle mordit dans une des tartines,
la trouva délicieuse, et en donna quelques

morceaux à Beau-Minon, qui eut l'air de les croquer avec délices.

Quand elle et Beau-Minon eurent bien mangé, Blondine se pencha vers lui, le caressa et lui dit :

« Merci, mon Beau-Minon, du déjeuner que tu m'as apporté. Maintenant, peux-tu me ramener à mon père, qui doit se désoler de mon absence ? »

Beau-Minon secoua la tête en faisant un miaulement plaintif.

« Ah ! tu me comprends, Beau-Minon, dit Blondine. Alors, aie pitié de moi et mène-moi dans une maison quelconque, pour que je ne périsse pas de faim, de froid et de terreur dans cette affreuse forêt. »

Beau-Minon la regarda, fit avec sa tête blanche un petit signe qui voulait dire qu'il comprenait, se leva, fit plusieurs pas et se retourna pour voir si Blondine le suivait.

« Me voici, Beau-Minon, dit Blondine, je te suis. Mais comment pourrons-nous passer dans ces buissons si touffus ? je ne vois pas de chemin. »

Beau-Minon, pour toute réponse, s'élança dans les buissons, qui s'ouvrirent d'eux-mêmes pour laisser passer Beau-Minon et Blondine, et qui se refermaient quand ils étaient passés. Blondine marcha ainsi pendant une heure ; à mesure qu'elle avançait, la forêt devenait plus claire, l'herbe était plus fine, les fleurs croissaient en abondance ; on voyait de jolis oiseaux qui chantaient, des écureuils qui grimpaient le long des branches. Blondine, qui ne doutait pas qu'elle allait sortir de la forêt et qu'elle reverrait son père, était enchantée de tout ce qu'elle voyait ; elle se serait volontiers arrêtée pour cueillir des fleurs : mais Beau-Minon trottait toujours en avant, et miaulait tristement quand Blondine faisait mine de s'arrêter.

Au bout d'une heure, Blondine aperçut un magnifique château. Beau-Minon la conduisit jusqu'à la grille dorée. Blondine ne savait pas comment faire pour y entrer ; il n'y avait pas

Un miaulement doux lui répondit. VI

de sonnette, et la grille était fermée. Beau-Minon avait disparu ; Blondine était seule.

Beau-Minon était entré par un petit passage qui semblait fait exprès pour lui, et il avait probablement averti quelqu'un du château, car la grille s'ouvrit sans que Blondine eût appelé. Elle entra dans la cour et ne vit personne ; la porte du château s'ouvrit d'elle-même. Blondine pénétra dans un vestibule tout en marbre blanc et rare ; toutes les portes s'ouvrirent seules comme la première, et Blondine parcourut une suite de beaux salons. Enfin, elle aperçut, au fond d'un joli salon bleu et or, une biche blanche courbée sur un lit d'herbes fines et odorantes. Beau-Minon était près d'elle. La biche vit Blondine, se leva, alla à elle et lui dit :

« Soyez la bienvenue, Blondine ; il y a long-temps que moi et mon fils Beau-Minon nous vous attendons. »

Et comme Blondine paraissait effrayée :

« Rassurez-vous, Blondine, vous êtes avec des amis ; je connais le roi votre père, et je l'aime ainsi que vous.

— Oh ! Madame, dit Blondine, si vous connaissez le roi mon père, ramenez-moi chez lui ; il doit être bien triste de mon absence.

— Ma chère Blondine, reprit Bonne-Biche en soupirant, il n'est pas en mon pouvoir de vous rendre à votre père ; vous êtes sous la puissance de l'enchanteur de la forêt des Lilas. Moi-même je suis soumise à son pouvoir, supérieur au mien ; mais je puis envoyer à votre père des songes qui le rassureront sur votre sort et qui lui apprendront que vous êtes chez moi.

— Comment ! Madame, s'écria Blondine avec effroi, ne reverrai-je jamais mon père, mon pauvre père que j'aime tant ?

— Chère Blondine, ne nous occupons pas de l'avenir ; la sagesse est toujours récompensée. Vous reverrez votre père, mais pas encore. En attendant, soyez docile et bonne. Beau-Minon et moi nous ferons tout notre possible pour que vous soyez heureuse. »

Blondine soupira et répandit quelques larmes. Puis elle pensa que c'était mal recon-

naître la bonté de Bonne-Biche que de s'affli-
ger d'être avec elle ; elle se contint donc et
s'efforça de causer gaiement.

Bonne-Biche et Beau-Minon la menèrent
voir l'appartement qui lui était destiné. La
chambre de Blondine était toute tapissée de
soie rose brodée en or : les meubles étaient en
velours blanc, brodés admirablement avec les
soies les plus brillantes. Tous les animaux, les
oiseaux, les papillons, les insectes y étaient
représentés. Près de la chambre de Blondine
était son cabinet de travail. Il était tendu en
damas bleu de ciel brodé en perles fines. Les
meubles étaient en moire d'argent rattachée
avec de gros clous en turquoise. Sur le mur
étaient accrochés deux magnifiques portraits
représentant une jeune et superbe femme et
un charmant jeune homme ; leurs costumes
indiquaient qu'ils étaient de race royale.

« De qui sont ces portraits, Madame ?
demanda Blondine à Bonne-Biche.

La chambre de Blondine était toute tapissée de soie   VII
rose brodée en or.

— Il m'est défendu de répondre à cette question, chère Blondine. Plus tard vous le saurez. Mais voici l'heure du dîner ; venez, Blondine, vous devez avoir appétit. »

Blondine, en effet, mourait de faim ; elle suivit Bonne-Biche et entra dans une salle à manger où était une table servie bizarrement. Il y avait un énorme coussin en satin blanc, placé par terre pour Bonne-Biche ; devant elle, sur la table, était une botte d'herbes choisies, fraîches et succulentes. Près des herbes était une auge en or, pleine d'une eau fraîche et limpide. En face de Bonne-Biche était un petit tabouret élevé, pour Beau-Minon ; devant lui était une écuelle en or, pleine de petits poissons frits et de cuisses de bécassines ; à côté, une jatte en cristal de roche, pleine de lait tout frais.

Entre Bonne-Biche et Beau-Minon était le couvert de Blondine ; elle avait un petit fauteuil en ivoire sculpté, garni de velours nacarat rattaché avec des clous en diamant. Devant elle était une assiette en or ciselé, pleine d'un potage délicieux de gelinottes et de becfigues. Son verre et son carafon étaient taillés dans du cristal de roche ; un petit pain mollet était placé à côté d'une cuiller qui était en or ainsi que la fourchette. La serviette était en batiste si fine, qu'on n'en avait jamais vu de pareille. Le service de la table se faisait par des gazelles qui étaient d'une adresse merveilleuse ; elles servaient, découpaient et devinaient tous les désirs de Blondine, de Bonne-Biche et de Beau-Minon.

Le dîner fut exquis : les volailles les plus fines, le gibier le plus rare, les poissons les plus délicats, les pâtisseries, les sucreries les plus parfumées. Blondine avait faim ; elle mangea de tout et trouva tout excellent. Après le dîner, Bonne-Biche et Beau-Minon menèrent Blondine dans le jardin ; elle y trouva les fruits les plus succulents et des promenades charmantes. Après avoir bien couru, s'être bien promenée, Blondine rentra avec ses nouveaux amis : elle était fatiguée. Bonne-Biche lui proposa d'aller se coucher, ce que Blondine accepta avec joie.

Elle entra dans sa chambre à coucher, où elle trouva deux gazelles qui devaient la servir : elles la déshabillèrent avec une habileté merveilleuse, la couchèrent et s'établirent près du lit pour la veiller.

Blondine ne tarda pas à s'endormir, non sans avoir pensé à son père et sans avoir amèrement pleuré sur sa séparation d'avec lui.

Blondine dormit profondément, et, quand elle se réveilla, il lui sembla qu'elle n'était plus la même que lorsqu'elle s'était couchée ; elle se voyait plus grande ; ses idées lui semblèrent aussi avoir pris du développement ; elle se sentait instruite ; elle se souvenait d'une foule de livres qu'elle croyait avoir lus pendant son sommeil ; elle se souvenait d'avoir écrit, dessiné, chanté, joué du piano et de la harpe.

Pourtant sa chambre était bien celle que lui avait montrée Bonne-Biche et dans laquelle elle s'était couchée la veille.

Agitée, inquiète, elle se leva, courut à une glace, vit qu'elle était grande, et, nous devons l'avouer, se trouva charmante, plus jolie cent fois que lorsqu'elle s'était couchée. Ses beaux cheveux blonds tombaient jusqu'à ses pieds ; son teint blanc et rose, ses jolis yeux bleus, son petit nez arrondi, sa petite bouche vermeille, ses joues rosées, sa taille fine et gracieuse, faisaient d'elle la plus jolie personne qu'elle eût jamais vue.

Émue, presque effrayée, elle s'habilla à la hâte et courut chez Bonne-Biche, qu'elle trouva dans l'appartement où elle l'avait vue la première fois.

« Bonne-Biche ! Bonne-Biche ! s'écriat-elle, expliquez-moi de grâce la métamorphose que je vois et que je sens en moi. Je me suis couchée hier au soir enfant, je me réveille ce matin grande personne ; est-ce une illusion ? ou bien ai-je véritablement grandi ainsi dans une nuit ?

— Il est vrai, ma chère Blondine, que vous avez aujourd'hui quatorze ans ; mais votre sommeil dure depuis sept ans. Mon fils Beau-

Minon et moi, nous avons voulu vous épargner les ennuis des premières études ; quand vous êtes venue chez moi, vous ne saviez rien, pas même lire. Je vous ai endormie pour sept ans, et nous avons passé ces sept années, à vous apprendre en dormant, Beau-Minon et moi, à vous instruire. Je vois dans vos yeux que vous doutez de votre savoir ; venez avec moi dans votre salle d'étude, et assurez-vous par vous-même de tout ce que vous savez. »

Blondine suivit Bonne-Biche dans la salle d'étude ; elle courut au piano, se mit à en jouer, et vit qu'elle jouait très bien ; elle alla essayer sa harpe et en tira des sons ravissants ; elle chanta merveilleusement ; elle prit des crayons, des pinceaux, et dessina et peignit avec une facilité qui dénotait un vrai talent : elle essaya d'écrire et se trouva aussi habile que pour le reste ; elle parcourut des yeux ses livres et se souvint de les avoir presque tous lus : surprise, ravie, elle se jeta au cou de Bonne-Biche, embrassa tendrement Beau-Minon, et leur dit :

« Oh ! mes bons, mes chers, mes vrais amis, que de reconnaissance ne vous dois-je pas pour avoir ainsi soigné mon enfance, développé mon esprit et mon cœur ! car, je le sens, tout est amélioré en moi, et c'est à vous que je le dois. »

Bonne-Biche lui rendit ses caresses. Beau-Minon lui léchait délicatement les mains. Quand les premiers moments de bonheur furent passés, Blondine baissa les yeux et dit timidement :

« Ne me croyez pas ingrate, mes bons et excellents amis, si je demande d'ajouter un nouveau bienfait à ceux que j'ai reçus de vous. Dites-moi, que fait mon père ? Pleure-t-il encore mon absence ? Est-il heureux depuis qu'il m'a perdue ?

— Votre désir est trop légitime pour ne pas être satisfait. Regardez dans cette glace, Blondine, et vous y verrez tout ce qui s'est passé depuis votre départ, et comment est votre père actuellement. »

Blondine leva les yeux et vit dans la glace l'appartement de son père ; le roi s'y promenait l'air agité. Il paraissait attendre quelqu'un. La reine Fourbette entra et lui raconta que Blondine, malgré les instances de Gourmandinet, avait voulu diriger elle-même les autruches, qui s'étaient emportées, avaient couru vers la forêt des Lilas et versé la voiture ; que Blondine avait été lancée dans la forêt des Lilas à travers la grille ; que Gourmandinet avait perdu la tête d'effroi et de chagrin ; qu'elle l'avait renvoyé chez ses parents. Le roi parut au désespoir de cette nouvelle ; il courut vers la forêt des Lilas, et il fallut qu'on employât la force pour l'empêcher de s'y précipiter à la recherche de sa chère Blondine. On le ramena chez lui, où il se livra au plus affreux désespoir, appelant sans cesse sa Blondine, sa chère enfant. Enfin il s'endormit et vit en songe Blondine dans le palais de Bonne-Biche et de Beau-Minon. Bonne-Biche lui donna l'assurance que Blondine lui serait rendue un jour et que son enfance serait calme et heureuse.

Elle parcourut des yeux ses livres et se souvint de les avoir presque tous lus.

VIII

La glace se ternit ensuite ; tout disparut. Puis elle redevint claire, et Blondine vit de nouveau son père, il était vieilli, ses cheveux avaient blanchi, il était triste ; il tenait à la main un petit portrait de Blondine, et le baisait souvent en répandant quelques larmes. Il était seul ; Blondine ne vit ni la reine ni Brunette.

La pauvre Blondine pleura amèrement.

« Pourquoi, dit-elle, mon père n'a-t-il personne près de lui ? Où sont donc ma sœur Brunette et la reine ?

— La reine témoigna si peu de chagrin de votre mort (car on vous croit morte, chère Blondine), que le roi la prit en horreur et la renvoya au roi Turbulent son père, qui la fit enfermer dans une tour, où elle ne tarda pas à mourir de rage et d'ennui. Quant à votre sœur Brunette, elle devint si méchante, si insupportable, que le roi se dépêcha de la donner en mariage l'année dernière au prince Violent, qui se chargea de réformer le caractère méchant et envieux de la princesse Brunette.

Il la maltraite rudement ; elle commence à voir que sa méchanceté ne lui donne pas le bonheur, et elle devient un peu meilleure. Vous la reverrez un jour, et vous achèverez de la corriger par votre exemple. »

Blondine remercia tendrement Bonne-Biche de ces détails ; elle eût bien voulu lui demander : « Quand reverrai-je mon père et ma sœur ? » Mais elle eut peur d'avoir l'air pressé de la quitter et de paraître ingrate ; elle attendit donc une autre occasion pour faire cette demande.

Les journées de Blondine se passaient sans ennui parce qu'elle s'occupait beaucoup, mais elle s'attristait quelquefois ; elle ne pouvait causer qu'avec Bonne-Biche, et Bonne-Biche n'était avec elle qu'aux heures des leçons et des repas. Beau-Minon ne pouvait répondre et se faire comprendre que par des signes. Les gazelles servaient Blondine avec zèle et intelligence, mais aucune d'entre elles ne pouvait parler.

Blondine se promenait accompagnée toujours de Beau-Minon, qui lui indiquait les plus jolies promenades, les plus belles fleurs. Bonne-Biche avait fait promettre à Blondine que jamais elle ne franchirait l'enceinte du parc et qu'elle n'irait jamais dans la forêt. Plusieurs fois Blondine avait demandé à Bonne-Biche la cause de cette défense. Bonne-Biche avait toujours répondu en soupirant :

« Ah ! Blondine, ne demandez pas à pénétrer dans la forêt ; c'est une forêt de malheur. Puissiez-vous ne jamais y entrer ! »

Quelquefois Blondine montait dans un pavillon qui était sur une éminence au bord de la forêt ; elle voyait des arbres magnifiques, des fleurs charmantes, des milliers d'oiseaux qui chantaient et voltigeaient comme pour l'appeler. « Pourquoi, se disait-elle, Bonne-Biche ne veut-elle pas me laisser promener dans cette belle forêt ? Quel danger puis-je y courir sous sa protection ? »

Elle voyait des arbres magnifiques, des fleurs
charmantes, des milliers d'oiseaux qui chantaient.

IX

Toutes les fois qu'elle réfléchissait ainsi, Beau-Minon, qui paraissait comprendre ce qui se passait en elle, miaulait, la tirait par sa robe et la forçait à quitter le pavillon.

Blondine souriait, suivait Beau-Minon et reprenait sa promenade dans le parc solitaire.

Suite au tome 2

Crédits photographiques

I. *Le Berceau,* détail, Amiens, Musée de Picardie, Giraudon.

II. *Les Curieuses,* détail, Paris, Musée du Louvre, © R.M.N.

III. et couverture : *L'Enfant aux fleurs,* Paris,
Musée du Louvre, © R.M.N.

IV. *Pâtre jouant de la flûte, une paysanne l'écoute,* Paris,
Musée du Louvre, Giraudon.

V. *La Bascule,* détail, Paris, Musée de la Ville de Paris,
Musée du Petit-Palais, Lauros-Giraudon.

VI. *La Leçon de musique,* détail, Paris, Musée du Louvre,
© R.M.N.

VII. *Le Verrou,* détail, Paris, Musée du Louvre, Giraudon.

VIII. *La Liseuse,* Washington, National Gallery of Art, Edimedia.

IX. *L'Amant couronné,* détail, New York, Frick Collection,
Edimedia.